C'est dur d'être un vampire

W9-DBA-746

Pascale Wrzecz est née à Douai en 1961. Après des études aux Beaux-Arts de Lille, elle travaille d'abord comme illustratrice. Aujourd'hui elle écrit des histoires et s'occupe de Susie Lou, sa petite fille. Quand elle n'écrit pas, elle anime un atelier de bandes dessinées pour enfants. Elle aime par-dessus tout les romans policiers et ces personnages mystérieux que sont les lutins, les trolls et les fées.

Boiry (pseudonyme de Véronique Cau) est née en 1948 à Toulon. Elle a fait ses études artistiques à l'École des métiers d'art, puis est devenue maquettiste à *Lisette* pendant deux ans. Elle habite aujourd'hui à Cherbourg avec son mari pédiatre, leurs trois enfants et une chatte, et consacre son temps à l'illustration de livres pour enfants. Ses albums ont été publiés chez Grasset, Hachette, Le Sorbier, Casterman, Bayard Éditions et dans les magazines de Bayard Presse.

Du même illustrateur dans Bayard Poche :
C'est la vie, Julie - Le géant enseveli - Gaby, mon copain - Une nuit au grand magasin - L'or des mages - Les yeux de Salka (J'aime lire)

© Bayard Éditions, 1994
Bayard Éditions est une marque
du département Livre de Bayard Presse
Tous les droits réservés. Reproduction, même partielle, interdite.
ISBN 2.227.72277.0

C'est dur d'être un vampire

Une histoire écrite par Pascale Wrzecz
illustrée par Boiry

Huitième édition

BAYARD POCHE

1

Un petit déjeuner à minuit

Lou est maintenant un garçon comme les autres, mais il n'y a pas très longtemps, son père, sa mère et lui formaient une… famille de vampires ! Les vampires sont très bizarres ! Ils vivent la nuit et dorment le jour… Pauvre Lou ! Il était toujours tout seul.

Il avait pourtant très envie de rencontrer d'autres enfants. Un soir, il en a parlé à ses parents :

– J'en ai assez d'être toujours tout seul ! J'ai envie de jouer, de chahuter, de rigoler !

Monsieur Dragoulu a répondu :

– Arrête de dire des bêtises, Lou. Et viens prendre ton petit déjeuner avec nous, il est presque minuit.

Lou a insisté :

– Je voudrais aller à l'école pour avoir des copains.

Sa mère s'est exclamée :

– Tu deviens fou ! Nos enfants ne vont pas à l'école. On n'a jamais vu ça ! Les vampires et les hommes ne peuvent pas être amis !

La nuit était tombée depuis longtemps. Lou s'est mis à table et madame Dragoulu lui a versé un grand bol de sang caillé. Lou a fait la grimace :

– Beurk ! J'ai horreur du sang !

Madame Dragoulu a dit :

– Tu n'aimes rien, Lou ! Quand tu étais bébé, tu vomissais tes biberons. J'ai pourtant tout essayé : la bave d'escargot aux lentilles, le pipi de chauve-souris grenadine... Et maintenant tu ne veux plus que des yeux de crapauds grillés ! Mais aujourd'hui, il n'y en a pas.

Une nuit, en effet, madame Dragoulu avait rapporté à la maison un paquet de cornflakes en croyant que c'étaient des yeux de crapauds grillés. Lou les avait dévorés avec un appétit d'ogre.

À minuit, Lou n'avait toujours rien mangé. Monsieur Dragoulu commençait à s'énerver :

– Un vampire doit boire du sang s'il veut avoir l'air terrifiant !

Tout en parlant, il montrait ses dents pointues. Mais Lou n'avait pas du tout envie de faire peur aux gens. D'ailleurs, chaque jour, il limait en cachette ses deux dents pointues. Il s'est mis à bougonner :

– Ce n'est pas marrant d'être tout blanc et tout maigre. Je voudrais avoir des joues rouges, et plein de muscles partout !

Monsieur Dragoulu a englouti son sang caillé en trois gorgées et il a dit :

– Dépêche-toi de boire, Lou. Il est temps d'aller faire des courses.

– Je n'y vais pas ! J'en ai assez d'être toute la nuit dehors pendant que les gens dorment. Et puis je ne veux plus mettre ma grande cape noire. Elle est moche !

Finalement, les parents ont laissé Lou tout seul dans leur grande maison. Elle était un peu pourrie, cette maison : des tuiles tombaient du toit, les portes grinçaient et il y avait de la poussière et des toiles d'araignée partout.

Lou s'est dépêché de monter dans sa chambre pour jouer avec ses deux chauves-souris, Frou-Frou et Zig-Zag, ses seules amies. Mais il s'ennuyait tellement qu'il s'est endormi. Dormir en pleine nuit : c'était la première fois que ça lui arrivait.

2

Un spectacle éblouissant

Quand Lou s'est réveillé, il faisait grand jour. Il savait qu'il était en danger de mort : la lumière du jour est la pire ennemie des vampires ! Elle peut les désagréger* en moins de trois secondes !

Il a essayé de se rendormir en fermant les

* Cela veut dire changer en poussière.

yeux très fort. Impossible ! Il n'avait plus du tout sommeil…

Après beaucoup d'hésitations, il est sorti de son lit et il s'est approché de la fenêtre. Il s'est dit en tremblant comme une feuille : « Pourvu que je ne sois pas transformé en poussière verdâtre ou, pire encore, en crotte de nez ! » Lou a soulevé le rideau, et… rien ne s'est passé ! Il regardait ses mains, il touchait ses habits, il tâtait ses cheveux, mais non, décidément, rien n'avait changé.

Dehors, un spectacle éblouissant l'attendait : une boule de feu illuminait le jardin. Elle était mille fois plus puissante que la lune et les réverbères ! Le petit vampire n'avait jamais vu ça. D'habitude, la grisaille de la nuit recouvrait tout.

Lou a descendu l'escalier du jardin sur la pointe des pieds. Son cœur battait comme un tambour. Il savait qu'il faisait une bêtise.

Quand il s'est approché de la grille, il a entendu des voix qui venaient de la rue. Il a ouvert la porte du jardin. Sur la place en face de la maison trois enfants couraient et sautaient en riant. Lou n'avait jamais entendu personne rire si fort. Les enfants portaient des chemises de toutes les couleurs. Lou les aurait bien échangées contre sa vilaine cape noire.

Lou s'est retourné. Un petit garçon était à côté de lui. C'était la première fois qu'il en voyait un de si près !

Le garçon a demandé :

– Salut ! Depuis quand tu habites là ? Je croyais qu'elle était abandonnée, cette baraque !

Lou a bredouillé :

– Euh… J'habite ici depuis pas longtemps.

Le garçon a dit avec un petit sourire :

– J'espère que ton père sait bricoler ! Il ne va pas s'amuser pour remettre en état une ruine pareille ! Dans le quartier, on l'appelle la maison hantée.

– Non, elle n'est pas hantée, a dit Lou. Il n'y a pas de fantômes, il n'y a que des vampires.

Le garçon s'est mis à rire :

– T'es marrant, toi ! Comment tu t'appelles ? Moi, je m'appelle Antoine.

Lou était tout content qu'on s'intéresse à lui. Il a répondu :

– Moi, c'est Lou. Dis, tu vas à l'école ?

– D'où tu sors, toi ! C'est les vacances depuis cinq jours !

Lou était déçu :

– Ah... Alors, tu n'as pas de copains ?

– Bien sûr que si ! a dit Antoine. On habite tous le quartier. T'as qu'à venir avec nous ! C'est pas drôle de rester tout seul !

Lou n'en croyait pas ses oreilles. Antoine a regardé sa montre et il s'est exclamé :

– Oh ! là ! là ! C'est bientôt midi ! Ma mère m'attend. Je reviendrai cet après-midi. Tu verras tous mes copains. À tout à l'heure !

Et il est parti en courant.

3

Une journée au parc

Lou a refermé la grille et il est monté dans la chambre de ses parents. Ils dormaient toujours.

Puis, il est redescendu dans le jardin. Il avait besoin de réfléchir. Allait-il dire à Antoine qu'il était un vampire ? Lou avait peur que son nouvel ami ne le croie pas...

ou bien qu'il se sauve à toutes jambes !

Soudain, la cloche de la grille a tinté et Lou a bondi vers Antoine. Il était prêt à le suivre n'importe où.

Ils sont allés au parc. Là-bas, Lou a rencontré plein d'autres enfants. Avec eux, il a chahuté dans les bacs à sable, il a grimpé aux arbres, il a poursuivi les filles en hurlant comme un sauvage...

La journée a passé à toute vitesse. Il était déjà 8 heures du soir quand Lou est rentré chez lui. Il s'est glissé dans son lit sans faire de bruit, mais deux heures plus tard sa mère est venue le réveiller. Il a passé toute la nuit debout en compagnie de ses parents.

Le lendemain matin, Lou a couru rejoindre Antoine et les autres enfants.

Cette vie-là a duré trois semaines. Lou ne dormait presque plus. Une nuit, madame Dragoulu s'est inquiétée :

– Tu dois être malade, Lou ! J'ai de plus en plus de mal à te réveiller ! Je vais appeler le docteur.

Le docteur Globul était le médecin de famille des Dragoulu. Quand il est arrivé, Lou dormait encore. Madame Dragoulu a dit :

– J'espère que ce n'est pas grave, docteur ! Il a une drôle de mine. Il a les joues toutes rouges ! C'est bizarre !

Le docteur Globul a examiné Lou de la tête aux pieds. Il a déclaré que le petit vampire était très fatigué parce qu'il était en train de grandir. Lou ne l'a pas contredit… Mais il a dû avaler toutes sortes de médicaments. Du sirop d'hémoglobine, pouah ! Des gouttes de sérum sanguin, hips ! Des cachets à la viande rouge, beurk !

Le docteur Globul a encore ordonné à Lou de rester au lit pendant une semaine. Quelle aubaine ! Pendant une semaine, il a pu dormir la nuit ! Et, le jour venu, il quittait son lit sans que ses parents le sachent…

4

Le secret

Un matin, Lou dormait profondément quand, soudain, il s'est réveillé en sursaut : quelqu'un venait de crier dans le couloir.

C'était Antoine qui sortait à reculons de la chambre de monsieur et madame Dragoulu. Antoine avait les yeux fixés sur les parents de Lou, endormis dans leurs cercueils.

Il a bredouillé, tout tremblant :

– Qu'est... qu'est-ce que c'est que ça ?

– C'est mon père et ma mère. Ils dorment.

Antoine regardait Lou d'un air inquiet.

– Dans des cercueils ! Et à midi !

Lou commençait à avoir drôlement chaud. Comment convaincre Antoine que tout était normal ? Il a dit :

– Viens dans ma chambre, je vais t'expliquer.

Une fois dans la chambre, Antoine a inspecté chaque recoin, et il a demandé sur un ton ironique :

– Tiens, tu ne dors pas dans un cercueil, toi ?

Lou était plutôt mal à l'aise :

– Tu sais, mes parents sont un peu originaux. Ils trouvent ça plus marrant... Mais moi, je n'ai jamais voulu dormir dans un cercueil ! Je dors dans un lit !

À ce moment-là, Frou-Frou et Zig-Zag, les deux chauves-souris, ont surgi du placard dans un grincement sinistre, Antoine ne trouvait pas ça drôle du tout :

– Écoute, Lou ! Si tu veux qu'on reste copains, arrête de me raconter des histoires ! Explique-moi ce qui se passe dans cette maison.

Lou a pris son courage à deux mains, et il a avoué à Antoine que ses parents et lui étaient des vampires...

– C'est super génial ! a dit Antoine. Moi, j'aimerais bien être un vampire !

Lou a haussé les épaules :

– Tu sais, ce n'est pas facile d'être un vampire : on est toujours seul, on ne va pas à l'école, on ne mange pas de glaces ni de sucettes piquantes !

Antoine s'est calmé :

– Je te comprends. Tu peux compter sur moi pour t'aider si tu en as besoin. Et ne t'inquiète pas, je sais garder un secret !

5

Panique à la maison

À partir de ce jour, Lou et Antoine sont devenus inséparables. Ils passaient leur temps à jouer au football avec d'autres garçons du quartier.

Bien sûr, Lou se sentait un peu fatigué, mais il adorait sa nouvelle vie. Malheureusement, une nuit, sa mère est entrée dans sa chambre. Elle a ramassé le pantalon de Lou qui était en boule au pied du lit. Une quantité de bricoles est tombée des poches : une gomme, trois billes, une demi-sucette…

Madame Dragoulu est restée immobile.

– Mais qu'est-ce que c'est que ce bazar ? Où as-tu trouvé toutes ces choses ?

Lou a bondi hors de son lit, et il s'est réfugié dans les cabinets.

Madame Dragoulu a appelé son mari.

– Hector, viens vite ! Notre fils devient fou !

Monsieur Dragoulu est arrivé en grognant. Sa femme lui a dit ce qui se passait, et il a tambouriné à la porte :

– Lou, sors de là et explique-toi !

– Non !

– Comment ça, non ?

Le père et la mère de Lou étaient stupéfaits : jamais leur fils ne leur avait résisté avec tant de force. Madame Dragoulu a pris une voix toute douce :

– Loulou, dis-nous ce qui se passe. Sors donc de cet endroit, nous n'allons pas te manger !

Mais Lou avait pris sa décision : il ne sortirait pas des cabinets, et rien ne le ferait changer d'avis.

Une heure plus tard, Lou a reconnu la voix du docteur Globul :

– Tes parents sont descendus dans le salon. Tu peux tout me dire. N'aie pas peur !

Lou était rassuré. Il a expliqué au médecin qu'il préférait les cornflakes au sang caillé. Puis il a parlé d'Antoine, son nouvel ami. Il a raconté qu'il passait ses journées à jouer au football…

Le docteur Globul est resté sans voix. Il a bredouillé :

– Euh… Je vais voir tes parents. Ne bouge pas.

Il est descendu et Lou l'a entendu chuchoter. Soudain, un cri strident, suivi d'un grand « boum », a fait sursauter Lou : c'était sa mère ! Elle avait dû s'évanouir !

Le médecin a élevé la voix :

– Hector, voyons ! Aidez-donc votre femme à se relever !

Et de nouveau tous trois se sont mis à chuchoter. Au bout d'un quart d'heure, le docteur Globul est remonté :

– J'ai parlé à tes parents, Lou. Ils ont eu un drôle de choc ! Mais ils ont promis de ne pas te punir si tu ne recommences pas.

Alors, Lou a craqué :

– J'en ai assez d'être un vampire ! Je veux vivre comme mon copain Antoine. Et je ne sortirai pas d'ici, na !

Le médecin est revenu auprès des parents :

– Il vaut mieux attendre que votre fils se calme. Ne vous inquiétez pas, il sortira quand il en aura assez !

6

Le grand changement

Lou a passé les six nuits suivantes dans les cabinets. Il en sortait en cachette chaque matin, pendant que ses parents dormaient. Il passait un court moment en compagnie d'Antoine, puis il revenait avec des provisions de cornflakes.

Plus le temps passait, plus les parents de

Lou s'affolaient. Ils n'avaient pas revu leur fils depuis presque une semaine… Ils ont rappelé le docteur Globul.

Cette fois-ci, un vampirologue l'accompagnait. C'était un grand spécialiste qui soignait les idées noires des vampires. Il a tout de suite dit aux parents de Lou :

– Je ne peux pas guérir votre fils… Il aurait fallu que je m'occupe de lui beaucoup plus tôt, quand il était encore bébé.

Il y a eu un grand silence. Le vampirologue a ajouté :

– Je ne vois qu'une solution : il faut que toute la famille change de vie. Croyez-moi, de nos jours, ça ne se fait presque plus de vivre comme des vampires !

Monsieur et madame Dragoulu étaient effondrés. Le grand spécialiste leur a donné une longue liste de médicaments. Il leur a expliqué qu'avec ces cachets, en quelques semaines ils seraient des êtres humains normaux... En entendant ces paroles, Lou a sauté de joie et il est sorti des cabinets.

Les premiers temps ont été difficiles. Monsieur Dragoulu était déboussolé : il refusait d'avaler ses cachets s'ils n'étaient pas arrosés de ketchup.

Finalement, les médicaments ont produit leur effet. Et puis, sur les conseils de son fils, monsieur Dragoulu s'est laissé pousser la moustache. Ainsi, aujourd'hui on ne voit plus ses dents pointues.

Madame Dragoulu a nettoyé la maison de la cave au grenier. Elle a fait déménager Frou-Frou et Zig-Zag. Les deux amies de Lou vivent au grenier, un endroit qui leur convient très bien. La maison de la famille Dragoulu est la plus jolie du quartier à présent. La mère de Lou passe ses journées dans son jardin ! Bien sûr, elle porte des lunettes noires : le soleil l'éblouit encore !

Le père de Lou s'est mis à la cuisine. Un soir, il a invité les parents d'Antoine et il leur a fait sa spécialité : le faisan au ketchup... La viande était encore un peu saignante, mais ça n'a pas empêché les parents d'Antoine et ceux de Lou de devenir de très bons amis.

Quant à Lou, il est allé à l'école pour la première fois il y a huit jours à peine. C'est moins amusant qu'il ne l'imaginait ! Heureusement, il est dans la classe d'Antoine !

Dans la même collection
J'aime lire

JACQUES ET LE TANK

Automne 1944. Dans la petite ville où vit Jacques, la guerre se termine. Les Américains bombardent. Les Allemands s'en vont. Mais dans leur fuite, ils laissent derrière eux un tank. Un vrai ! Grandeur nature ! Jacques et ses copains n'ont plus qu'une idée : jouer dans ce tank. Mais la guerre n'est pas un jeu...
Une histoire écrite par Jacques Delval
et illustrée par Michel Charrier.

IVAN LE MAGNIFIQUE

Un bébé, la reine veut un bébé ! Pour réaliser son rêve, elle mange un poisson à plumes d'or. Sa cuisinière et une vache en goûtent aussi... Et quelques mois plus tard, à la même heure, chacune d'elles donne naissance à un beau garçon. Les enfants se ressemblent comme trois gouttes d'eau. Devenus grands, ils partent ensemble courir le monde. Pourront-ils faire face aux dangers qui les attendent ? Lequel des trois princes rentrera au pays couvert d'honneur et de gloire ?
Une histoire écrite par Jacqueline Cohen
et illustrée par Colette Camil.

LE RÊVE DE NIKITA

Dans un pays merveilleux vit un riche marchand qui a trois fils. Le jour de leur installation dans une nouvelle maison, le père demande à ses fils de raconter leur premier rêve, qui, comme chacun sait, se réalise toujours. Nikita, le plus jeune fils, s'y refuse obstinément. Pour le punir, son père le donne au tsar. Mais le tsar, lui aussi, veut connaître le rêve de Nikita... Quel est-il, ce rêve mystérieux, et jusqu'où emmènera-t-il l'intrépide Nikita ?

Une histoire écrite par Marie Sellier
et illustrée par Annie-Claude Martin.

BERLINGOT A DISPARU !

Le frère de Bérénice en a assez d'assurer chaque jour la promenade de cette petite sœur qui bavote, crachote, gigote... et fait l'admiration de toutes les vieilles dames du square. Alors pour passer le temps, il se raconte des histoires. Par exemple, que Bérénice est une princesse, et lui le garde du corps chargé de la protéger contre les gangsters qui essaient de la kidnapper. Et puis un jour, le temps qu'il se retourne, il ne reste plus dans la poussette qu'un gilet rose et un morceau de gâteau. Cette fois, c'est grave : Bérénice a disparu pour de vrai !

Une histoire écrite par Évelyne Reberg
et illustrée par Claude et Denise Millet.

Dans la série *J'aime lire* de Bayard Poche, il y a plein de livres que tu vas adorer !

Des livres d'humour

L'oncle Giorgio **(JL 10)**

L'oncle Giorgio est allergique aux enfants.
Catastrophe, il est obligé de recevoir
son neveu et sa nièce !

Écrit par Marie-Aude Murail et illustré par Yves Besnier.

Des livres fantastiques

La bibliothèque ensorcelée **(JL 35)**

Ce vendredi 13, Aurore Coquille, la bibliothécaire,
ne se doute pas que le livre qu'on lui demande
va l'entraîner dans une véritable chasse aux sorcières.

Écrit par Évelyne Reberg et illustré par Maurice Rosy.

Des livres frissonnants

Le mot interdit **(JL 6)**

Pas de mot se terminant en « eur ».
C'est la règle du jeu. Un jeu qui peut devenir
dangereux pour Thierry.

Écrit par Nicolas de Hirsching et illustré par Jean Claverie.

Des livres d'aventure

C'est la vie, Julie **(JL 1)**

Ce matin, tout va mal, et Julie
est loin de se douter qu'elle sera
ce jour-là l'héroïne de folles aventures !

Écrit par Évelyne Reberg et illustré par Boiry.

Et n'oublie pas, dès 9/10 ans, les séries Je bouquine et Chair de poule !

Tous les mois, la lecture plaisir avec le magazine de ton choix

J'Aime Lire
Dès 7 ans.
*Gourmand de lecture ? Dévore chaque mois dans **J'Aime Lire,** un vrai roman inédit, croque les jeux de Bonnemine et savoure l'irrésistible BD de Tom-Tom et Nana.*

Astrapi
Dès 7 ans.
*Lis, ris et grandis avec **Astrapi !** Pour tout comprendre, ses « petits savoirs » te disent tout sur les sciences, la nature, l'histoire et la santé... Et avec ses BD, jeux, bricolages, actualités, Astrapi, c'est garanti sans ennui !*

Images Doc
Dès 8 ans.
*Passionné de découvertes ? Pars avec **Images Doc** à la rencontre des richesses du monde à travers de superbes documents-photos sur les animaux, l'histoire, la géographie, les sciences...*

Si tu veux recevoir un magazine en cadeau ou t'abonner, tél. : 01 44 21 60 00

Achevé d'imprimer en Juillet 2000 par OBERTHUR Graphique
35000 RENNES - N° 3199
Dépôt légal : Janvier 1994 - N° Editeur : 6258
Imprimé en France